JEUNESSE

Une drôle de ministre

Une drôle de ministre

DOMINIQUE DEMERS

QUÉBEC AMÉRIQUE jeunesse

Données de catalogage avant publication (Canada)

Demers, Dominique
Une drôle de ministre
(Bilbo jeunesse ; 102)
ISBN 2-7644-0121-3
I. Titre. II. Collection.
PS8557.E468D76 2001   jC843'.54   C2001-941135-9
PS9557.E468D76 2001
PZ23.D45Dr 2001

Nous reconnaissons l'aide financière du
gouvernement du Canada par l'entremise du
Programme d'aide au développement de l'industrie
de l'édition (PADIÉ) pour nos activités d'édition.

Gouvernement du Québec – Programme de crédit
d'impôt pour l'édition de livres – Gestion SODEC.

Les Éditions Québec Amérique bénéficient du
programme de subvention globale du Conseil des
Arts du Canada. Elles tiennent également à
remercier la SODEC pour son appui financier.

Québec Amérique
329, rue de la Commune Ouest, 3ᵉ étage
Montréal (Québec) H2Y 2E1
Téléphone : (514) 499-3000, télécopieur : (514) 499-3010

Dépôt légal : 4ᵉ trimestre 2001
Bibliothèque nationale du Québec
Bibliothèque nationale du Canada

Révision linguistique : Michèle Marineau
Mise en pages : André Vallée
Réimpression : avril 2004

Aux enfants, aux professeurs
et aux parents de l'école
Sacré-Cœur d'Edmunston

Remerciements

J'aimerais remercier de tout cœur les personnes suivantes : Suzanne Gaudreault et les nombreux enfants qui ont la chance de l'avoir dans leur vie, Julie Cyr et ses élèves de l'école Louis-Lafortune, Denise Boileau-Francœur et Madeleine Rousseau-Langevin ainsi que leurs élèves de l'école Jean-Leman, Linda Clermont, Lucie Papineau, Danielle Vaillancourt et tous les enfants qui m'ont gentiment inondée de commentaires et de suggestions pour les prochains «Mademoiselle Charlotte». Gros bisous à vous tous.

Prologue

Mademoiselle Charlotte est une vieille dame qui ne fait rien comme tout le monde. Dans *La nouvelle maîtresse*, elle enseigne les mathématiques avec des spaghettis; dans *La mystérieuse bibliothécaire,* elle range les livres par couleur; dans *Une bien curieuse factrice,* elle ouvre le courrier avant de le livrer.

La plupart des adultes jugent sans doute mademoiselle Charlotte complètement cinglée lorsqu'elle parle à haute voix à Gertrude, sa roche. À leurs yeux, Gertrude n'est qu'un vulgaire caillou. Mais, dans une foule d'écoles, de villes et de pays où mademoiselle Charlotte s'est arrêtée, les enfants bavardent maintenant avec leur fourchette, se confient à leur brosse à dents et discutent avec leur gomme à effacer.

-1-

Il faut retrouver Gertrude

Le cœur battant, mademoiselle Charlotte étudiait l'horaire des trains au tableau de la gare centrale. «Dans deux heures cinquante-quatre minutes. Enfin!» soupira-t-elle en déposant son sac de voyage en poil d'éléphant.

Dans deux heures cinquante-quatre minutes, elle allait monter dans un train qui la mènerait à Saint-Anatole. Et, à Saint-Anatole, elle retrouverait Léo, Marie… et Gertrude! Mademoiselle Charlotte savait que Léo et Marie prenaient bien soin de sa précieuse Gertrude, mais elle avait beaucoup réfléchi au cours des derniers mois et elle avait décidé de ne plus jamais se séparer de sa grande amie.

La vieille dame se dirigea joyeusement vers le guichet pour acheter son billet en oubliant derrière elle son sac de voyage. Au beau milieu de la gare remplie de voyageurs! Mademoiselle Charlotte était un peu étourdie...

▲ ▲ ▲

Au même moment, un bruit d'explosion fit sursauter plusieurs passants à deux coins de rue de là. Un pneu venait d'éclater. Et pas n'importe quel pneu! Le pneu arrière gauche de la limousine du premier ministre, Roger Rabajoie.

Aussitôt, le chauffeur privé

du premier ministre se précipita pour évaluer les dégâts, l'adjoint politique ouvrit son cellulaire pour commander une autre limousine, et le garde du corps sortit pour s'assurer que personne ne dérangerait l'honorable Roger Rabajoie.

Le premier ministre était très occupé à relire le discours qu'il allait prononcer en fin de journée au Colisée devant l'ADGQSCTTI (l'Association des gens qui se croient très très importants). C'était une occasion unique, un moment historique. Il allait dévoiler devant mille personnes, neuf caméras de télévision et seize micros de radio la pièce maîtresse de son programme électoral : la nouvelle politique d'éducation des enfants.

Roger Rabajoie était rendu au deuxième paragraphe de la troisième page, un passage clé qui allait profondément bouleverser la vie de tous les enfants du pays. Il y était écrit que les récréations seraient abolies, que les enfants iraient en classe même le samedi et que les grandes vacances seraient réduites à deux semaines par année. Au lieu de jouer au soccer dans les parcs, de nager dans les piscines et les lacs, de faire du camping et du vélo, les enfants iraient à l'école presque tout l'été.

Avant même que le premier ministre ait terminé ce paragraphe, son adjoint politique, Simon Sanfaçon, lui annonça que toutes les rues étaient bloquées en raison d'une manifestation monstre des chauffeurs de camions. Si le premier ministre voulait être à Sainte-Margoulette à dix heures dix pour inaugurer la nouvelle serre d'échalotes biologiques, il devait prendre le train. Et vite!

▲ ▲ ▲

Dix minutes plus tard, le premier ministre, son adjoint politique et son garde du corps arrivèrent tout essoufflés à la gare. Pendant que Simon Sanfaçon courait acheter des billets, une femme demanda un autographe au premier ministre. Roger Rabajoie déposa son vieux sac en poil d'éléphant, dans lequel il transportait tous ses documents importants. C'était un souvenir de Joséphine, sa tante préférée. Le premier ministre ne se déplaçait jamais sans lui.

Pendant que Roger Rabajoie discutait avec son admiratrice, d'autres citoyens le reconnurent, ce qui provoqua rapidement un véritable attroupement. Mademoiselle Charlotte aperçut alors le sac du premier ministre parmi tous ces gens. Elle le prit, croyant que c'était le sien, et le serra très fort dans ses bras.

— Ma pauvre pitchounette! J'ai eu peur de t'avoir perdue, dit-elle en caressant doucement le poil d'éléphant.

Pour célébrer ces retrouvailles, mademoiselle Charlotte décida de s'offrir un bon gros bol de soupe aux nouilles au bistro de la gare. Elle était déjà en route lorsque Roger Rabajoie découvrit… que son sac avait changé de place. Il n'était plus à ses pieds, mais au beau milieu de la gare!

Le premier ministre se précipita pour le récupérer. Il l'ouvrit aussitôt et s'écria :

— Fesses de sauterelles!

▲ ▲ ▲

Au moment de s'installer à une table, mademoiselle Charlotte comprit tout à coup que quelque chose clochait : son sac était trop lourd.

Elle l'ouvrit et poussa un cri d'horreur. Un cri tellement strident que tous les clients du restaurant arrêtèrent de manger, de respirer et de bouger. Ils imaginaient que la vieille dame qui venait de hurler avait découvert une tête de mort, une tarentule géante ou un monstre à vingt-douze ventouses dans son sac.

— Mon sac est plein! s'écria mademoiselle Charlotte avec désespoir.

C'était en effet tout à fait inhabituel et parfaitement inusité, car mademoiselle Charlotte avait l'habitude de transporter… rien! En apparence, du moins. Au fil de ses voyages, mademoiselle Charlotte avait accumulé une multitude de souvenirs infiniment précieux, mais invisibles.

Mademoiselle Charlotte fouilla parmi les documents et découvrit un agenda en cuir fin portant les initiales : P. M.

P. M.? Mademoiselle Charlotte se demandait qui était cet inconnu dont elle avait pris le sac par mégarde. S'appelait-il Pierre Malavoy? Paul Michaud? Pamphile Marchaudon? Philippin Machinchouin? Elle ouvrit l'agenda et découvrit l'adresse de ce mystérieux P. M. : 8, rue Deluxe.

Ça tombait bien! Mademoiselle Charlotte avait vu cette rue en marchant vers la gare. Avec un peu de chance, elle pourrait retourner son sac à P. M. et reprendre le sien sans manquer son train. À condition, bien sûr, de renoncer à sa soupe aux nouilles.

— Pauvre coco! Il faut remettre ça à plus tard, dit-elle en frottant son ventre, qui émettait de gros bruits de moteur tant il avait faim.

-2-

Gustave-Aurèle Brillantine-Rabajoie

Le 8 de la rue Deluxe était une imposante maison entourée d'une haute clôture en fer hérissée de piquants. Mademoiselle Charlotte ne se laissa pas impressionner. Elle marcha droit vers la porte d'entrée et sonna trois longs coups.

Gaston Gendron, le majordome, ouvrit et fronça les sourcils en découvrant une drôle de vieille dame, très grande et très mince, coiffée d'un étrange chapeau.

— Qui dois-je annoncer? s'informa Gaston Gendron d'un ton hautain.

Émeline Brillantine, l'épouse du premier ministre, l'avait averti qu'un nouveau tuteur viendrait faire la classe à leur fils, Gustave-Aurèle. Elle avait sûrement fait erreur, car c'était une tuteuse… euh… une tutrice. Et d'un genre plutôt… Enfin…

— C'est bien ici qu'habite Paul Michaud? demanda mademoiselle Charlotte.

La pauvre avait du mal à retenir un fou rire parce que Gaston Gendron portait une énorme moustache qu'on aurait dit en poil de mouffette!

— Ou peut-être Pamphile Marchaudon? reprit mademoiselle Charlotte.

La moustache du majordome frémissait comme si elle était vivante. Mademoiselle Charlotte avait terriblement envie de rire.

— Pierrette Migneault? Paulette Morin? Pénélope Machinchouin? suggéra-t-elle encore.

Le nez du majordome se plissa avec dédain, ce qui eut pour effet de faire bondir sa moustache. Mademoiselle Charlotte fut prise d'un puissant fou rire.

Gaston Gendron décida immédiatement que cette drôle d'énergumène ne pouvait être une tutrice. Il n'hésita pas une seconde et lui ferma la porte au nez!

▲ ▲ ▲

«Fiou! Mon tuteur n'est pas encore arrivé», se réjouit Gustave-Aurèle Brillantine-Rabajoie, qui avait épié la scène de la fenêtre de sa chambre au troisième étage.

À presque douze ans, il avait déjà connu un nombre inouï de

tuteurs. Des grands maigres, des petits gros et même des petits maigres et des grands gros. Chacun avait ses manies propres. Le premier mâchonnait des cure-dents, et le dernier se nettoyait le nez derrière son cahier. Aux yeux de ses parents, aucun d'eux n'était assez parfait. Roger et Émeline voulaient toujours plus et mieux pour leur fils. Ils tenaient à ce que Gustave-Aurèle excelle en musique comme en physique, en linguistique et en mathématiques.

Gustave-Aurèle enviait les autres enfants. Ceux qui jouaient au hockey dans la rue, mangeaient des chips aux cornichons et regardaient des films d'horreur à la télévision. Lui passait ses journées à étudier ses matières scolaires, à répéter son solfège, à s'avancer en informatique et à se perfectionner aux échecs. Le pire, c'est que, même en travaillant très fort, il avait toujours l'impression de ne pas être assez bon.

Gustave-Aurèle allait quitter son poste d'observation et se replonger dans sa géométrie lorsque mademoiselle Charlotte se mit à chanter à tue-tête en faussant horriblement. C'était sa façon d'évacuer sa frustration. Elle esquissa ensuite quelques pas de danse au beau milieu de la rue, puis tournoya sur elle-même. Pour finir, elle rugit comme un gorille souffrant d'une rage de dents.

— Et voilà! dit-elle, heureuse d'avoir retrouvé sa bonne humeur.

Gustave-Aurèle remarqua alors que l'étrange visiteuse repartait avec la valise de son père, une pièce rare, souvenir de sa tante adorée disparue au cours d'une expédition au mont Piton.

Le fils du premier ministre était un enfant rangé et sage. Il n'avait pas l'habitude des gestes impulsifs. Mais, en voyant disparaître le précieux sac de son père, il décida d'agir. Et vite !

« Neuf heures dix... Le majordome est dans le hall d'entrée, la femme de chambre devant la salle à manger et la bonne au pied de l'escalier », songea Gustave-Aurèle. Il se précipita donc vers la chambre du fond, ouvrit la fenêtre, emprunta l'escalier de secours et courut à toutes jambes vers mademoiselle Charlotte.

-3-

Vivement
Saint-Citron !

Mademoiselle Charlotte vida à grand bruit son troisième bol de soupe aux nouilles pendant que Gustave-Aurèle dévorait – pour la première fois de sa vie! – un énorme morceau de pizza au pepperoni.

Ils étaient retournés à la gare en espérant que Roger Rabajoie serait encore là, mais le premier ministre était déjà parti. Mademoiselle Charlotte avait alors décidé que son estomac en avait assez, et Gustave-Aurèle l'avait accompagnée au bistro de la gare.

— Tu es vraiment sûr que ton père est premier ministre? demanda mademoiselle Charlotte enfin rassasiée.

Gustave-Aurèle lui jura que c'était vrai. Il trouvait mademoiselle Charlotte vraiment surprenante. Elle ne connaissait ni le nom du premier ministre ni celui de son parti politique. Elle voyageait avec un sac vide et parlait à haute voix à un caillou. Elle avait vécu une foule d'aventures, et tout ce qu'elle disait, faisait et pensait étonnait le garçon au plus haut point.

Le fils du premier ministre avait compris que mademoiselle Charlotte n'était pas une voleuse. Elle avait simplement pris par erreur un sac en poil d'éléphant identique au sien. Roger Rabajoie avait dû paniquer en découvrant que son sac, au lieu de contenir tous ses documents les plus importants, était rempli d'air.

— Regardez! dit Gustave-Aurèle en ouvrant l'agenda de Roger Rabajoie à la page du 8 mai. Mon père avait rendez-vous à Sainte-Margoulette. Il doit maintenant visiter une usine de voitures à Saint-Citron. Cet après-midi, il rencontre les pêcheurs de Port-au-Méné, et ce soir... Oh non! Ce soir, mon père doit dévoiler sa nouvelle politique d'éducation des enfants. C'est un événement très attendu. Il aura besoin de tous ses documents.

— Ah oui? Et en quoi consiste cette nouvelle politique? demanda mademoiselle Charlotte.

— Je n'en sais rien, admit Gustave-Aurèle.

— Tu veux dire que ton père ne t'a pas consulté? s'étonna mademoiselle Charlotte.

— Mais non, voyons. Je suis un enfant!

— Justement! Tu as bien dit qu'il s'agissait de la nouvelle politique d'éducation «des enfants», non?

Gustave-Aurèle trouvait que mademoiselle Charlotte avait un peu raison. Il aurait d'ailleurs été ravi de pouvoir donner son avis. Mais le fils du premier ministre devinait bien que son père ne l'estimait pas assez bon pour ça.

— Et si on regardait dans le sac… La nouvelle politique est peut-être dedans…, suggéra mademoiselle Charlotte, dévorée par la curiosité.

— Non! Voyons donc! s'écria aussitôt Gustave-Aurèle, horrifié.

Il faut prendre un train pour Saint-Citron. Et vite! Comme ça, on arrivera à temps pour remettre à mon père tous ses documents. Pour une fois, il sera fier de moi. Et il vous offrira peut-être un poste dans son gouvernement.

Gustave-Aurèle ne se doutait pas que les événements se dérouleraient très différemment. Quant à mademoiselle Charlotte, elle savait qu'une nouvelle mission l'attendait. Gustave-Aurèle avait besoin d'elle. Et si, en plus, le premier ministre pouvait lui fournir un nouveau métier...

Mademoiselle Charlotte se mit à rêver aux emplois qu'elle aimerait occuper. Elle ne connaissait rien aux gouvernements, mais elle savait qu'elle serait infiniment heureuse si le premier ministre lui proposait de cultiver des pissenlits, d'élever des araignées, d'inventer des nouilles ou de dessiner des plans de châteaux de sable géants...

-4-

Le guide
alimentaire
national

— **Q**uoi?! Vous êtes *perdu*?! beugla l'adjoint du premier ministre dans son cellulaire.

Il n'en finissait plus d'engueuler le chauffeur de la voiture dépêchée par la sécurité nationale pour accueillir le premier ministre à la gare de Saint-Citron. L'espèce de cornichon avait pris le mauvais pont et s'était égaré dans la région de Gromoron.

Roger Rabajoie n'était pas vraiment déçu de ce contretemps. Il en avait assez de pelleter de la terre et de couper des rubans. Sa précieuse valise débordait de dossiers véritablement urgents. Et, pourtant, ses conseillers le harcelaient sans arrêt pour qu'il participe à une foule d'activités afin que sa photo soit dans tous les journaux.

Le premier ministre flatta doucement la valise vide en poil d'éléphant tout en songeant à sa tante Joséphine. C'était la seule qui l'avait écouté. La seule aussi qui l'avait gâté. Roger Rabajoie soupira en pensant aux trésors qu'elle lui donnait en cachette. Des sacs remplis de tout ce que ses parents lui interdisaient de manger : de la gomme à mâcher, du chocolat, des réglisses, des caramels, des jujubes et surtout, surtout, les fameux bonbons explosifs qui, en fondant, se transformaient en feu d'artifice.

Roger Rabajoie rougit violemment. Le souvenir de ces friandises lui avait ouvert l'appétit. Il aurait donné sa montre en or pour une poignée de bonbons explosifs. Or, le premier ministre savait très bien que, dans la nouvelle politique des enfants, il était clairement écrit que seuls les aliments nutritifs seraient désormais permis. Le foie de bœuf, le brocoli, le chou, le navet, les carottes, les pamplemousses, les artichauts…

-5-

Le premier ministre est nul !

— **O**n y est! cria mademoiselle Charlotte en traversant la rue d'un pas alerte.

Gustave-Aurèle n'en revenait pas. Cette grande échalote était drôlement en forme. Ils avaient couru depuis la gare jusqu'à l'usine ZWZ de Saint-Citron en espérant que le premier ministre ne serait pas encore reparti.

Une centaine de personnes étaient réunies dans une salle de l'usine. Elles attendaient que le premier ministre se montre enfin le bout du nez et qu'il dévoile la nouvelle voiture, dissimulée sous une grande toile.

— Mon père est en retard. J'espère qu'il ne lui est rien arrivé, chuchota Gustave-Aurèle à mademoiselle Charlotte.

Au même moment, le président-directeur général de l'usine ZWZ, un petit monsieur chauve qui transpirait à grosses gouttes, s'avança vers le micro, suivi de sa directrice des communications, qui était chaussée de souliers à talons tellement hauts qu'on l'aurait dit grimpée sur des échasses.

— J'ai le regret de vous informer que le premier ministre a été retenu ailleurs, commença le petit monsieur chauve.

Un concert de protestations s'éleva de la foule. Tout le monde était très déçu.

— Zut de zut! Et moi qui avais tellement hâte de le voir en personne, confia une jolie dame à sa copine.

— C'est la preuve que le premier ministre est nul! lança un homme. J'ai bien fait de ne pas voter pour lui.

— En tout cas, il n'est pas très fiable, ajouta une autre personne.

Gustave-Aurèle sentait la boucane lui sortir par le nez. Il aurait voulu leur dire qu'ils avaient tort de blâmer son père. Le premier ministre avait sûrement une excellente raison de ne pas être là. Roger Rabajoie travaillait fort. Très fort! Tellement fort qu'il souffrait de tension, d'indigestions, de palpitations, d'infections et autres indispositions.

Soudain, un murmure parcourut la foule. Gustave-Aurèle se tourna vers mademoiselle Charlotte... et découvrit que celle-ci avait disparu!

-6-

La 24RP3

— **N**ous venons d'apprendre que le premier ministre a délégué un de ses représentants, annonçait la directrice en talons hauts derrière le micro. Mademoiselle... euh... Charlotte?!... va maintenant procéder au dévoilement officiel.

«Ah non! Au secours!» se dit Gustave-Aurèle avec inquiétude.

Mademoiselle Charlotte, tout sourire, saluait la foule avec de grands gestes comme si elle était une vedette.

— Bonjour! Bienvenue! *Welcome*! *Hola*! lança-t-elle joyeusement.

La directrice à talons hauts scruta la foule d'un regard alarmé. Elle trouvait que le premier ministre aurait pu trouver quelqu'un d'un peu moins... ou d'un peu plus... Enfin... Or, à son grand soulagement, tout le monde semblait apprécier le divertissement. La bonne humeur de mademoiselle Charlotte était contagieuse.

Mademoiselle Charlotte n'avait jamais assisté à un dévoilement. Elle n'avait absolument aucune idée de ce qu'il *fallait* faire. Mais elle savait ce qu'elle avait *envie* de faire.

Depuis toujours, mademoiselle Charlotte rêvait d'être chanteuse. Malheureusement, elle chantait faux. Pour tout dire, elle chantait comme un crapaud.

— J'aimerais commencer avec une chanson, improvisa-t-elle.

«Ah non! À l'aide!» songea Gustave-Aurèle.

Au regard paniqué de la directrice des communications, mademoiselle Charlotte devina qu'on n'amorçait pas les cérémonies officielles avec une chanson.

— C'était juste une blague…, dit-elle pour se rattraper.

Mademoiselle Charlotte remarqua alors que le petit monsieur chauve qui transpirait à grosses gouttes lui désignait une manette. Elle tira dessus. Aussitôt, des Oh! et des Ah! montèrent de la foule tandis que la toile s'élevait, révélant le nouveau modèle de ZWZ : la 24RP3.

C'était une toute petite voiture violette d'allure plutôt chouette. Le président-directeur général expliqua qu'elle carburait à l'eau, ce qui en faisait la plus économique et la moins polluante des automobiles sur le marché.

— Je laisse maintenant la parole à la distinguée représentante de l'honorable premier ministre, dit-il en s'effaçant.

« Ah non ! Au secours ! À l'aide ! » reprit Gustave-Aurèle en lui-même.

Mademoiselle Charlotte s'approcha du micro.

— Si la 24RP3 performe aussi bien avec de l'eau, imaginez ce que ce serait avec de la limonade ou du sirop, déclara-t-elle le plus sérieusement du monde.

Les invités rirent de bon cœur sans que mademoiselle Charlotte comprenne pourquoi. Elle ne savait vraiment plus quoi ajouter, mais elle trouvait que, pour une si chouette voiture violette, la 24RP3 avait un nom vraiment moche.

Quel nom serait plus approprié? se demandait tranquillement mademoiselle Charlotte pendant que tous les regards étaient braqués sur elle. Elle remarqua soudain Gustave-Aurèle dans la foule. Gustave-Aurèle... Un autre nom moche.

Mademoiselle Charlotte eut une illumination soudaine. Gustave-Aurèle... G.-A. ... GA... GA... Sans réfléchir davantage, elle lança :

— En l'honneur du fils du premier ministre, Gustave-Aurèle, qui est avec nous ce matin, j'ai le gigantesque privilège de rebaptiser cette jolie petite chose : la GAGA!

La salle était silencieuse. Personne ne savait quoi penser. Mademoiselle Charlotte poursuivit, comme si elle se parlait à elle-même.

— En la voyant, on est complètement gaga. Ah! Ah! Ah!

L'humour de mademoiselle Charlotte était un peu... particulier. En plus, elle riait comme une otarie. Mais elle le faisait avec tellement de cœur que sa gaieté était communicative. Peu à peu, des rires fusèrent dans la salle. Au bout d'un moment, la foule hurlait de rire. Finalement, mademoiselle Charlotte fut applaudie à tout rompre.

— Je voterais bien pour elle!
dit un voisin de Gustave-
Aurèle.

— Moi aussi! reprit son
copain. On s'ennuierait moins.

-7-

Pas question
de rançon!

— C'est affreux. Abominable. Parfaitement épouvantable!

Simon Sanfaçon n'avait jamais tant paniqué. Et Roger Rabajoie était encore plus ébranlé. Dans la nouvelle limousine qui devait les mener à Port-au-Méné après deux rendez-vous ratés, ils avaient entendu à la radio une information... hallucinante!

Au bulletin de nouvelles de midi, un journaliste avait raconté qu'une certaine mademoiselle Charlotte avait remplacé le premier ministre à l'usine ZWZ. Or, le premier ministre n'avait pas de remplaçant! De plus, le journaliste avait suggéré qu'étant donné la forte popularité de cette mystérieuse vieille dame on pouvait supposer qu'elle serait bientôt nommée ministre ou élue députée.

L'adjoint politique de Roger Rabajoie avait failli avaler sa cravate en entendant ces mots. Mademoiselle Charlotte était-elle une complice de Victor Vigor, le chef du parti d'opposition?

Le premier ministre s'inquiétait pour d'autres raisons. Il avait sursauté en apprenant que Gustave-Aurèle était présent à l'usine de Saint-Citron.

Roger Rabajoie avait aussitôt téléphoné au 8 de la rue Deluxe, où Gaston Gendron avait constaté que Gustave-Aurèle n'était plus dans sa chambre. Le majordome mentionna alors la visite d'une étrange vieille dame, le matin même. Douze minutes plus tard, les services secrets découvraient que la description de cette curieuse visiteuse correspondait parfaitement à celle de la fausse déléguée.

— Cette mécréante va demander une rançon, déclara Simon Sanfaçon. Il faut l'attraper avant! Notre gouvernement ne cédera pas au chantage.

Roger Rabajoie n'avait pas l'habitude de tenir tête à ses hauts conseillers, mais, cette fois, rien ne pouvait l'arrêter.

— Je veux mon fils! S'il le faut, nous dépenserons des millions. Gustave-Aurèle est mon enfant!

Roger Rabajoie venait brusquement de découvrir que son fils était un milliard de fois plus précieux que sa valise en poil d'éléphant et tous ses dossiers urgents.

-8-

Le thé
de Sa Majesté

— **V**ous n'auriez pas dû... Vous n'aviez pas le droit..., répétait Gustave-Aurèle à mademoiselle Charlotte.

Ils s'étaient arrêtés dans un parc, au bord d'un étang. G.-A. s'était assis dans l'herbe en prenant bien soin de ne pas salir son pantalon.

Mademoiselle Charlotte l'observait tranquillement. Elle se fichait éperdument qu'il soit le fils du premier ministre ou celui d'un laveur de vitres. Ce qui l'embêtait, c'est que G.-A. ne semblait pas heureux.

— Bon, d'accord! concéda mademoiselle Charlotte. Je n'aurais pas dû parler au micro et je n'ai pas le droit de re-baptiser les autos. Mais je ne suis pas du tout désolée et je suis prête à recommencer.

La vieille dame planta son regard gris-bleu dans celui de G.-A.

— Es-tu toujours aussi sage et parfait? lui demanda-t-elle doucement.

— Moi? Euh... Oui... Bien sûr..., bredouilla Gustave-Aurèle.

Un sourire mystérieux flottait sur les lèvres de mademoiselle Charlotte. Gustave-Aurèle eut l'impression qu'elle voyait à travers lui, qu'elle devinait ses secrets et lisait au plus profond de ses pensées.

— Raconte-moi…, l'encouragea mademoiselle Charlotte.

G.-A. baissa les yeux. Il ne comprenait pas trop ce qui lui arrivait. Il avait tout à coup très envie de se confier à cette étrange vieille dame qu'il connaissait pourtant si peu. Il lui semblait qu'à elle il pouvait tout dire sans danger.

Pendant une heure, G.-A. se vida le cœur. Il raconta à mademoiselle Charlotte qu'il s'ennuyait souvent, qu'il était très seul et qu'il trouvait difficile de ne jamais être à la hauteur. Il aurait souhaité que ses parents s'intéressent davantage à ses humeurs, à ses rêves et à ses peurs plutôt qu'au bulletin que rédigeait son tuteur.

À mesure qu'il parlait, G.-A. se sentait plus libre, plus léger. À la fin, il avoua à sa vieille amie qu'il n'était pas toujours aussi parfait qu'il le paraissait. Il lui était même déjà arrivé... de faire des mauvais coups.

— Parce que j'en avais trop assez! lança-t-il.

La première fois, c'était après avoir mangé des escargots aux champignons et à la moutarde lors d'un repas très officiel chez la reine d'Angleterre. G.-A. avait courageusement avalé les horribles petites choses caoutchouteuses et grises. Mais, après, il s'était vengé.

Il avait attendu le bon moment, quand tout le monde parlait politique et argent, et il avait versé de la vinaigrette dans le thé de Sa Majesté. Un grand bonheur! Un pur délice! Gustave-Aurèle avait pris un plaisir fou à guetter la réaction de la reine au moment où elle buvait sa première gorgée. Après un début de grimace, elle avait souri… et tout avalé.

Ensuite, il s'était amusé à sucrer les raviolis du président des États-Unis, à écraser de la pâte dentifrice sur le siège du roi des îles Can-Can et à voler des crottes de chien dans le jardin du voisin pour que le majordome marche dedans. Un jour, il avait même ajouté trois pattes d'araignée dans le sandwich au pâté de son tuteur le plus détesté.

Mademoiselle Charlotte dut faire un effort pour ne pas réagir à ce dernier aveu, car elle adorait les araignées.

— J'ai déjà fait pire! admit-elle quand même sans rougir.

Gustave-Aurèle observa sa compagne. Il sentait qu'elle

disait vrai. Du coup, il décida de lui avouer son pire coup.

— Un jour, j'ai trempé la brosse à dents de mon père dans la cuvette des toilettes!

Mademoiselle Charlotte ne réagit même pas.

— J'ai fait pire, dit-elle simplement.

— Dites-moi…, supplia G.-A.

Alors, pour faire plaisir à son jeune ami, mademoiselle Charlotte lui raconta son pire coup pendable. Elle avait déjà rédigé un faux bulletin de nouvelles annonçant quarante centimètres de neige. Il n'était pas tombé un flocon, mais trois mille trois cent trente-trois écoliers avaient eu congé toute la journée.

G.-A. n'en revenait pas. Mademoiselle Charlotte avait vraiment beaucoup de culot.

— J'ai fait toutes sortes de bêtises, avoua mademoiselle Charlotte. Parfois, j'ai un peu exagéré. Mais, maintenant, j'ai un truc! Je peux me défrustrer très vite, sans faire de mauvais coup.

Le secret de mademoiselle Charlotte était fort simple. Elle chantait! N'importe quoi, n'importe où, n'importe comment et devant n'importe qui...

— Ça marche! assura-t-elle. En quelques secondes, je sors ma rage, je retrouve ma joie. Plus je suis triste, plus je suis fâchée, plus je chante fort. Et, quand ça va vraiment mal, je danse aussi.

Pour convaincre son ami, mademoiselle Charlotte se mit à chanter à tue-tête en faussant horriblement sans se soucier le moindrement des regards des passants.

— Je vous crois! Je vous crois! hurla G.-A.

Mais mademoiselle Charlotte n'avait plus du tout envie d'arrêter.

-9-

Les enfants du Yakou Bourou

— **C**'est désastreux! s'écria mademoiselle Charlotte, horrifiée.

Au grand désespoir de Gustave-Aurèle, elle avait fouillé dans le sac du premier ministre et ouvert un document portant la mention «Ultrasecret». C'était, bien sûr, la fameuse nouvelle politique d'éducation des enfants.

Mademoiselle Charlotte l'avait lue. Et Gustave-Aurèle aussi.

Le fils du premier ministre était déçu. Son père allait bientôt dévoiler devant mille personnes, neuf caméras de télévision et seize micros de radio un programme qui obligerait tous les enfants du pays à mener une vie plate.

— Il faut empêcher ça! déclara mademoiselle Charlotte d'un ton enflammé.

Gustave-Aurèle ne savait plus quoi penser. Son père était entouré de hauts conseillers qui ne pouvaient quand même pas se tromper. La nouvelle politique s'appuyait sur les découvertes qu'avait faites le ministre de l'Éducation, Jean Génie, lors d'un voyage au Yakou Bourou, une petite île en mer d'Égypte. Les enfants de ce pays étudiaient dix heures sur vingt-quatre, six jours sur sept, cinquante-deux semaines par année. Ils ne mangeaient

que de la viande rouge, du pois-
son blanc et des légumes verts.
Et ils étaient ultra-performants
dans toutes les matières scolaires.

Gustave-Aurèle réfléchit
encore à tout ça.

— Mon père sait ce qu'il fait,
déclara-t-il. La preuve, c'est que
les enfants du Yakou Bourou
réussissent mieux.

— Peut-être…, concéda ma-
demoiselle Charlotte. Mais ils
sont sûrement moins heureux.

Gustave-Aurèle baissa les
yeux.

— Il faut absolument ré-
écrire la politique d'éducation
des enfants, décida made-
moiselle Charlotte.

«Ah non! Au secours! À
l'aide!» songea Gustave-Aurèle.

Il s'attendait à ce que mademoiselle Charlotte se mette à

l'œuvre immédiatement. Au lieu de cela, elle s'étira comme un chat en humant le parfum des lilas.

— Je vais d'abord faire une sieste, prendre une collation et m'offrir une récréation, décida mademoiselle Charlotte. Après, on travaille toujours mieux.

Gustave-Aurèle dévisagea sa compagne. Parfois, il avait l'impression qu'elle était l'adulte le plus sensé qu'il ait jamais rencontré. D'autres fois, il en était beaucoup moins sûr…

-10-

Je veux
mon fils !

Mademoiselle Charlotte et G.-A. s'étaient amusés à s'éclabousser dans l'étang, à attraper au vol des cacahuètes grillées et à avaler tout rond des cornichons sucrés. G.-A. comptait maintenant les nuages, alors que mademoiselle Charlotte inventait des recettes de nouilles. Au ketchup et au pepperoni, au beurre d'arachide et aux noisettes, à la crème fraîche et aux bleuets...

Pendant ce temps, les services secrets menaient une enquête sur la mystérieuse fausse déléguée. Un portrait-robot avait été expédié à tous les corps policiers. Mademoiselle Charlotte était accusée de falsification d'identité, de vol de documents et d'enlèvement d'enfant!

▲ ▲ ▲

Assis dans le fauteuil capitonné de son bureau grand comme un paquebot, Roger Rabajoie se grignotait les pouces, un signe d'intense nervosité. Il venait d'aviser son épouse de la disparition de leur fils. Émeline Brillantine avait aussitôt annulé le discours qu'elle devait prononcer devant l'Association des femmes très très libérées.

— Cette criminelle sera bientôt arrêtée, menottée et emprisonnée, promit Simon Sanfaçon au premier ministre. L'important, pour l'instant, c'est de vous préparer. Dans trois heures trente-trois minutes, vous devrez prononcer votre discours. N'oubliez pas de mettre votre cravate bleue, celle qui vous va le mieux.

— Je ne dirai pas un mot devant un micro avant d'avoir retrouvé mon fils, s'offusqua le premier ministre.

Simon Sanfaçon prit un air outré, mais, pour une fois, Roger Rabajoie ne se laissa pas impressionner.

— Sortez! J'ai besoin de réfléchir! ordonna-t-il.

Enfin seul, le premier ministre eut une tendre pensée pour son fils. Dans douze jours, Gustave-Aurèle aurait douze ans. Déjà! Roger Rabajoie se rappelait son propre anniversaire dè douze ans. Une journée de rêve avec sa chère tante Joséphine!

Ils avaient passé la nuit debout. Et, à l'heure du déjeuner, ils avaient mangé des spaghettis à l'orange et au miel! Puis ils avaient dormi dans leur cabane sous les arbres au bord du lac aux Sauterelles. Lorsqu'ils s'étaient réveillés, à l'heure du dîner, ils avaient dévoré une tarte géante à la ratatouille et aux ananas.

Le premier ministre poussa un immense soupir. Il aurait tellement aimé revivre cette journée. Mais, bien sûr, c'était impossible, car il était devenu un homme rangé, respecté, raisonnable et réservé.

C'est du moins ce qu'il croyait...

-11-

Il neige des étoiles

— Qu'en penses-tu? demanda mademoiselle Charlotte.

Gustave-Aurèle avait la bouche grande ouverte. Il venait de lire la nouvelle politique rédigée par son amie. C'était totalement impossible, parfaitement impensable... et tout à fait merveilleux!

Il y était écrit que les enfants devaient absolument apprendre à faire des bulles avec leur gomme à mâcher avant la fin de leur sixième année. Qu'il était également très important qu'ils apprennent à courir plus vite que le vent, à fabriquer des cerfs-volants, à voyager dans des livres drôles ou effrayants, à élever des animaux exotiques, à inventer des mets extravagants...

Mademoiselle Charlotte parlait aussi de la nécessité d'apprendre à calculer et à écrire sans fautes, mais elle ne s'y attardait pas longtemps. «Les enfants heureux apprennent vite et mieux», écrivait-elle simplement.

— J'ai hâte de présenter mes idées aux mille délégués! dit mademoiselle Charlotte, les yeux brillants d'excitation.

Gustave-Aurèle sentait qu'il devait l'en empêcher. Pourtant, il n'avait pas davantage envie que son père livre son discours.

Si seulement cette soirée pouvait être annulée!

«Je pourrais faire semblant d'être presque mort, pensa-t-il. Mon père annulerait peut-être son discours.» L'ennui, c'est qu'il n'en était pas sûr. Et si son père décidait que son rôle de premier ministre était plus important que la santé de son fils?

Soudain, Gustave-Aurèle eut une idée. Un plan vraiment audacieux.

▲ ▲ ▲

— Il nous reste un peu de temps avant la rencontre. Qu'as-tu envie de faire? demanda mademoiselle Charlotte en rangeant ses notes.

Gustave-Aurèle avait tellement l'habitude d'étudier et

de travailler qu'il ne savait trop quoi suggérer.

— Et si on jouait à se raconter des histoires? proposa mademoiselle Charlotte. Quelle est ta préférée?

G.-A. réfléchit. Il hésitait entre la vie de Napoléon et celle de César. Le fils du premier ministre ne connaissait que des histoires vraies.

— Les Vikings! annonça-t-il finalement.

Mademoiselle Charlotte avait déjà les yeux ronds.

— Raconte-moi…, dit-elle d'une voix pressante.

G.-A. décrivit les expéditions cruelles des Vikings, ces redoutables pirates qui sillonnaient les mers dans des navires à tête de dragon.

— Ils étaient avides et sans pitié, expliqua-t-il à sa vieille amie, qui était très impressionnée. Ces bandits des mers incendiaient, pillaient et tuaient, semant la terreur sur leur passage.

Au bout de quelques minutes, G.-A. s'arrêta. Il avait répété du mieux qu'il pouvait tout ce qu'il savait sur le sujet.

— Continue! insista mademoiselle Charlotte. C'est passionnant!

— C'est tout ce qu'on m'a enseigné, je suis désolé…, s'excusa Gustave-Aurèle.

— Alors, invente! suggéra mademoiselle Charlotte comme si ça allait de soi.

G.-A. faillit s'étouffer.

— On ne peut pas inventer : c'est une histoire vraie!

— Ah bon… Alors, invente une autre histoire, proposa mademoiselle Charlotte.

Gustave-Aurèle avait l'impression qu'elle lui demandait de sauter du haut d'un pont. Il savait étudier, mémoriser, observer, calculer, résumer... Mais inventer? Non.

— Tu me fais marcher! protesta mademoiselle Charlotte. Je ne te crois pas... Ne me dis pas que tu n'as jamais inventé une histoire juste pour toi.

Elle n'en revenait pas. Le fils du premier ministre faisait vraiment très pitié.

Mademoiselle Charlotte observa longuement le garçon de ses yeux perçants.

— Qui aimerais-tu être? demanda-t-elle à son jeune ami. À quelle époque voudrais-tu vivre? Quelle galaxie souhaiterais-tu explorer?

G.-A. avait les yeux écarquillés. Mademoiselle Charlotte poursuivit :

— Aimerais-tu affronter un monstre sans te blesser? Te transformer en farfadet, en géant ou en sorcier? Nager avec des dauphins? Manger des nuages? Voler sur le dos d'un oiseau aux ailes grandes comme des cerfs-volants?

Gustave-Aurèle était pâle de désir. Il avait envie de hurler OUIII!

— Tu peux! lui assura mademoiselle Charlotte. Il suffit d'inventer...

Le fils du premier ministre était fasciné. Tout cela lui semblait bien trop merveilleux pour être possible.

Mademoiselle Charlotte devina ce qu'il éprouvait.

— Ferme les yeux, murmura-t-elle. Là… Fais-moi confiance.

Gustave-Aurèle ferma les yeux en tremblant un peu.

— Maintenant, écoute, continua mademoiselle Charlotte d'une voix douce. C'est facile. On commence toujours par «Il était une fois». Alors… Il était une fois… un garçon nommé G.-A. qui en avait assez d'être toujours seul et sage. Il rêvait de rencontrer un ami et de vivre toutes sortes d'aventures.

«Une nuit, après un souper très ennuyeux avec le grand gourou du Yakou Bourou, G.-A. fut réveillé par un vacarme épouvantable.

«La fenêtre de sa chambre était grande ouverte. Les rideaux battaient à tout vent. Le ciel était mauve, et il neigeait des étoiles.

«G.-A. entendit une voix caverneuse.

« Je suis là », dit la voix.

«G.-A. vit alors une main gigantesque apparaître à la fenêtre. Il s'approcha et découvrit une créature hallucinante. Un être comme il n'en avait jamais vu.

«Gustave-Aurèle grimpa sur l'appui de la fenêtre et, sans hésiter, il sauta dans la main offerte…»

-12-

Bossanova et Marumba

— Ils sont repérés! Rue Bossanova, près de Boyer. Envoyez-nous du renfort. Immédiatement! chuchota l'agent Z0-Z0 dans sa montre-micro en descendant de son escabeau.

En route vers le Colisée, Gustave-Aurèle et mademoiselle Charlotte n'avaient pas remarqué le policier déguisé en laveur de vitres. Son collègue, l'agent NO-NO, un faux brigadier scolaire, avait pour mission d'intercepter le fils du premier ministre et sa kidnappeuse un peu plus loin, à l'angle des rues Bossanova et Marumba.

Gustave-Aurèle marchait d'un pas alerte en pratiquant mentalement son plan. Il lui faudrait beaucoup de courage et de sang-froid pour déjouer les agents de sécurité et déclencher l'alarme d'incendie. Ainsi, le Colisée serait évacué et les discours remis à un autre jour.

— Dans dix secondes, chuchota l'agent NO-NO dans sa montre-micro, alors que mademoiselle Charlotte et G.-A. avançaient droit vers lui.

Soudain, mademoiselle Charlotte s'arrêta net. Elle venait d'apercevoir un petit bout de ruban bleu ciel, tout crotté, effiloché et ratatiné sur le pavé. Au moment où l'agent NO-NO allait lui mettre le grappin dessus, elle fit un pas de côté, bousculant sans le vouloir quelques passants, et cueillit délicatement le bout de ruban.

— Pauvre cocotte! Tu es pas mal maganée! Ne t'inquiète pas... Je vais m'occuper de toi, dit-elle doucement.

G.-A. aurait payé cher pour disparaître sous terre. Les passants rigolaient en montrant du doigt l'étrange vieille femme qui continuait de parler à haute voix à un ruban en le caressant tendrement comme s'il était vivant. Un concert de klaxons s'éleva bientôt, car, en plus, mademoiselle Charlotte bloquait complètement la circulation.

Gustave-Aurèle remarqua alors l'homme derrière mademoiselle

Charlotte. Il parlait à sa montre!
Discrètement. Très très discrètement.

En un éclair, Gustave-Aurèle
comprit. C'était un policier.
Mademoiselle Charlotte était
recherchée! Il aurait dû y penser.

— Au secours! cria-t-il, paniqué.

Mademoiselle Charlotte se
retourna vers G.-A. L'agent NO-
NO fit de même, ainsi que tous
les passants.

Gustave-Aurèle eut alors une
merveilleuse inspiration.

— Au secours! Cet homme
est fou! Il veut m'attraper! hurla-
t-il en montrant du doigt l'agent
NO-NO.

Cela dit, il tira mademoiselle
Charlotte par le bras, et ils s'en-
fuirent tous deux à vive allure.

— Quelle crapule! S'en
prendre à un enfant! s'excla-

mèrent des passants indignés en encerclant l'agent NO-NO.

— Alerte générale! Je crois qu'ils se dirigent vers le Colisée, réussit malgré tout à confier l'agent NO-NO à sa montre-micro reliée au quartier général de la sécurité nationale.

-13-

Pizzas
et policiers

Mademoiselle Charlotte et G.-A. étaient cachés sous des boîtes de pizzas à l'arrière de la voiture d'Antonio Tortello. Le livreur de Mamma Pizza avait gentiment offert de leur venir en aide.

— Attention! Ne bougez pas! les avertit Antonio au moment où un policier lui faisait signe d'arrêter.

Par ordre des services de sécurité, toutes les voitures en route vers le Colisée étaient examinées. L'agent ouvrit la portière arrière pour inspecter l'intérieur de l'auto.

Antonio remarqua alors que les bottes de mademoiselle Charlotte dépassaient des boîtes de pizzas!

— Voulez-vous une portioné dé pizza? offrit-il au policier en ouvrant toute grande une boîte, dissimulant ainsi les bottes de mademoiselle Charlotte.

Ravi, le policier repartit avec un morceau de pizza au pepperoni. Quelques minutes plus tard, Antonio déposait ses passagers devant la porte du Colisée.

Mademoiselle Charlotte et G.-A. réussirent à pénétrer dans l'édifice sans se faire repérer, car G.-A. avait eu la brillante idée de faire porter la casquette d'Antonio par mademoiselle Charlotte. Avec son large chapeau,

la vieille dame aurait été arrêtée aussitôt.

Le Colisée était plein à cra-
quer, l'heure des discours avait
sonné. Mais Roger Rabajoie
refusait toujours de s'approcher
des micros tant qu'il n'aurait
pas retrouvé son fils sain et
sauf.

Dissimulé dans les coulisses,
le premier ministre observait
les gens dans la salle grâce à
des écrans de télé installés par
les services de sécurité. Il recon-
nut Victor Vigor, le chef du parti
d'opposition; Ginette Gênée, la
journaliste de CACO; Raymond
Ragot, le chroniqueur de OGPT;
et, tout au fond, dans un coin…
Gustave-Aurèle!

Un vaste sourire illumina le
visage du premier ministre.
Non seulement Gustave-Aurèle

était-il bien vivant, mais il riait aux éclats.

Il faut dire que mademoiselle Charlotte venait de lui poser une devinette : Qu'est-ce qui est jaune, rouge et blanc, et qui monte et descend? En entendant la réponse – une banane déguisée en père Noël dans un ascenseur! –, G.-A. trouva la blague tellement nulle et épouvantable qu'il ne put s'empêcher de rire.

Roger Rabajoie observa attentivement la drôle d'énergumène avec qui Gustave-Aurèle rigolait. Une casquette de livreur de pizzas, une robe... et un sac en poil d'éléphant.

La kidnappeuse!

Le premier ministre était sidéré. Pourtant, il n'avait pas du tout envie d'alerter les services de sécurité.

«Cette femme n'a pas du tout l'air dangereuse. Même qu'elle me rappelle quelqu'un...» songeait Roger Rabajoie.

Soudain, il s'écria :

— Tante Joséphine!

Ses conseillers se retournèrent brusquement. Quelle mouche venait de piquer le premier ministre?

Roger Rabajoie était ému. Il savait bien que sa tante Joséphine avait disparu au cours de son ascension du mont Piton. Mais cette vieille dame lui ressemblait énormément. Terriblement. Merveilleusement!

Sans avertir ses conseillers, le premier ministre sortit des coulisses et se dirigea vers le micro. Il n'était pas prêt à prononcer son discours, mais il avait besoin de mieux voir cette femme avec qui son fils semblait si heureux.

Gustave-Aurèle vit son père s'avancer. Au même moment, mademoiselle Charlotte marcha vers l'estrade. Elle était bien décidée à présenter son propre programme.

G.-A. comprit que c'était le moment d'exécuter son plan. Il repéra l'alarme d'incendie la plus proche et déjoua deux agents de sécurité en zigzaguant entre les jambes des délégués de l'ADGQSCTTI. Puis il se hissa sur la pointe des pieds et tendit un bras vers la manette.

Des Oh! et des Ah! s'élevèrent soudain de la foule. Gustave-Aurèle resta figé pendant que mademoiselle Charlotte marchait droit vers le premier ministre.

«Mais qu'est-ce qui m'arrive?» se demandait G.-A., la main immobilisée sur la manette.

Il se sentait incapable de déclencher l'alarme. Et ce n'était pas par manque de courage. Gustave-Aurèle Brillantine-Rabajoie venait de découvrir que, durant cette journée, il avait changé. Tellement qu'il n'avait plus envie d'empêcher mademoiselle Charlotte de parler.

À son grand désarroi, G.-A. vit quatre agents de sécurité s'élancer pour intercepter mademoiselle Charlotte tandis qu'elle montait les marches de l'estrade. C'est alors que la voix de Roger Rabajoie retentit dans la salle :

— Non! Arrêtez! Laissez-la parler!

-14-

Simplement heureux

Mademoiselle Charlotte ne réussit pas à convaincre les mille délégués de l'ADGQSCTTI qu'il était absolument essentiel que tous les enfants apprennent à faire des bulles avec une gomme à mâcher avant la fin de leur sixième année. Mais ils l'écoutèrent attentivement pendant qu'elle présentait sa politique d'éducation des enfants.

Une fois son exposé terminé, mademoiselle Charlotte raconta trois blagues nulles et elle ne put s'empêcher d'ajouter une chanson. Les délégués s'amusèrent beaucoup. Ils étaient persuadés que mademoiselle Charlotte faisait exprès pour chanter comme un crapaud. Sa bonne humeur et sa douce folie les avaient rapidement conquis.

Au fond, sans le savoir, ils en avaient assez d'être sérieux. Ils avaient tous terriblement envie d'être simplement heureux.

Pendant que mademoiselle Charlotte amusait la foule, G.-A. et son père s'étaient réfugiés dans les coulisses. Roger Rabajoie avait longuement serré son fils dans ses bras. Puis, G.-A. avait expliqué à son père tout ce qu'il avait appris depuis que mademoiselle Charlotte était entrée dans sa vie.

Le père et le fils étaient d'accord pour que la politique d'éducation des enfants soit réécrite afin d'inclure non seulement du temps pour travailler, écouter et étudier, mais aussi du temps pour construire des cabanes dans les arbres, inventer des histoires et manger des bonbons explosifs qui se transforment en feu d'artifice. Roger Rabajoie avait aussi promis à G.-A. de lui parler de Joséphine, sa tante préférée.

G.-A. voulut annoncer ces bonnes nouvelles à mademoiselle Charlotte. Il sortit des coulisses et découvrit… que sa vieille amie avait disparu!

Quelques minutes plus tôt, mademoiselle Charlotte avait salué la foule avec des airs de vedette, puis elle était descendue de l'estrade. Personne ne l'avait revue.

Épilogue

Ce jour-là, Roger Rabajoie et G.-A. retrouvèrent le fameux sac en poil d'éléphant rempli de documents important dans l'immense bureau du premier ministre. Mademoiselle Charlotte y avait ajouté cette lettre :

Cher monsieur Roger
Premier Ministre,

Je ne veux plus vraiment me mêler de politique, mais j'aimerais vous faire une petite suggestion. Il me semble que le meilleur endroit pour repenser votre très nouvelle et très honorable politique d'éducation des enfants serait dans une cabane, parmi les arbres, au bord d'un lac très joliment nommé le lac aux Sauterelles.

Mille caresses à votre fils G.-A. qui, à mon avis, pourrait très bien vous aider.

Mademoiselle Charlotte

P.-S.: Petits bisous à vous itou!